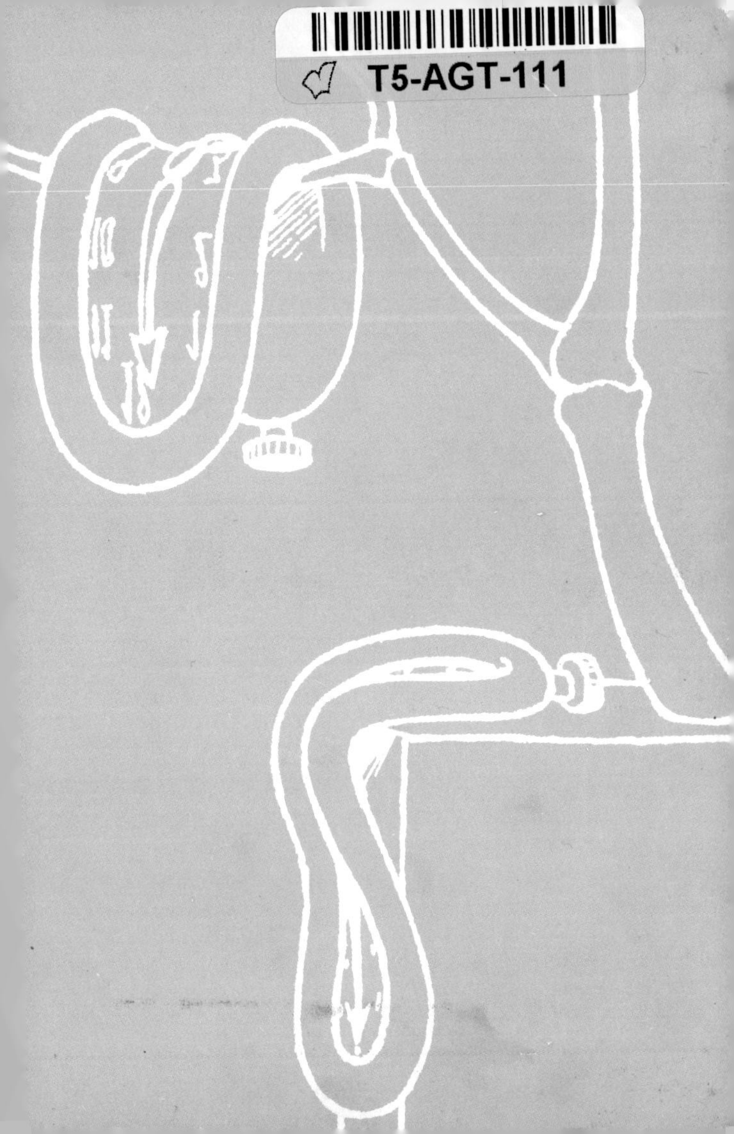

Loi numéro 49 956 du 16 juillet 1949 sur les publications
destinées à la jeunesse : mars 2004
Dépôt légal : mars 2004
Imprimé en France par Aubin Imprimeurs à Poitiers

CLAUDE PONTI

Monsieur Monsieur et Mademoiselle Moiselle

LES MONTRES MOLLES

l'école des loisirs
11, rue de Sèvres, Paris 6e

Monsieur Monsieur
se promène.

Sur son chemin,
il trouve des montres molles.

Aussitôt,
Monsieur Monsieur
devient tout mou.

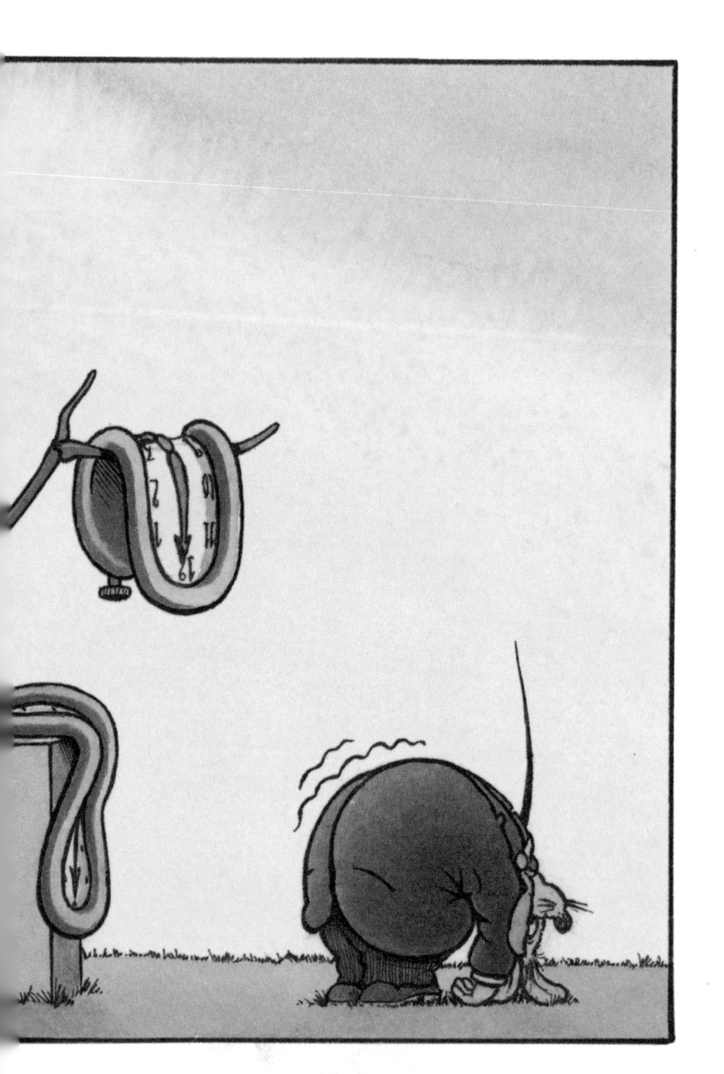

Il s'étale
comme une flaque.

Ça le met en boule.

Il pense à un cube,
et il prend la forme d'un cube.

Il pense à une pyramide.
Et il prend la forme d'une pyramide.

Il essaie de penser à lui-même,
mais il pense à un champignon.

Ou à un éléphant.

Ou à un chapeau à secrets.

Ça le fait penser
à Mademoiselle Moiselle.
Et soudain
il redevient lui-même.

« C’est tout moi !
Tout entier, tout partout,
je suis moi ! »
dit Monsieur Monsieur.

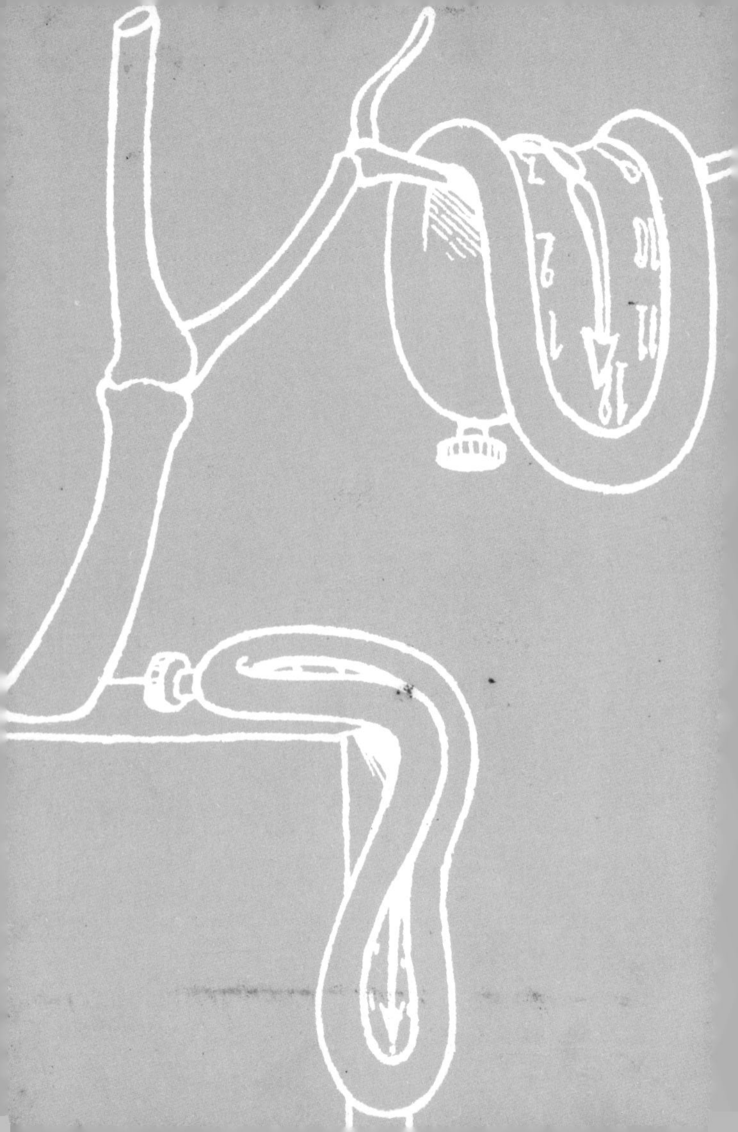